à Lou, Pauline et Yann
J. W.

© hélium / Actes Sud, 2017
Loi n° 49 956 du 16 juillet 1949
sur les publications destinées à la jeunesse
helium-editions.fr/

N° d'édition : JE 306
ISBN : 978-2-330-07582-8
Dépôt légal: premier semestre 2017

Conception graphique: Atelier Philippe Bretelle

Imprimé par Lesaffre en Belgique en janvier 2017

Gwenaël David • Julia Wauters

MILLE MÉDUSES

Trompe La Vague

hélium

Le capitaine Daniel sillonnait l'Atlantique
depuis plus de trente ans, à bord de son fier navire *Trompe La Vague*.
Chaque hiver, en attendant le retour de la belle saison,
il errait sur le port de l'île du Timbre-Poste.

Le marin était connu pour sa manie de jurer.
Dès qu'un goéland se posait sur le bastingage
fraîchement briqué de son navire, dès qu'une tempête
s'annonçait à l'horizon, dès qu'on mettait en doute
ses histoires de vieux loup de mer, le juron fusait: **«Mille méduses!»**

Cette année-là, lorsque revint le printemps,
le capitaine Daniel équipa *Trompe La Vague*.
Une foule nombreuse l'accompagna
sur le port, et assista au départ.
Le vieux bateau quitta alors le quai
et prit la direction du large.

La terre s'éloigna peu à peu, jusqu'à disparaître.
La traversée se déroulait sans encombre,
les moteurs ronronnaient sur une mer d'huile.
Cela n'empêchait pas le vieux grincheux de jurer.

«Mille méduses!»
criait-il aux dauphins bruyants
et joyeux jouant à l'avant du navire.

**«Mille
méduses!»**
hurlait-il, trempé
par le souffle
des cachalots venus
respirer en surface.

«Mille méduses!»

vociférait-il lorsqu'une pluie
de poissons volants
s'abattait sur le pont
du bateau.

L'Océan, qui supportait ces jurons depuis des années,
en eut assez d'être ainsi dérangé.
Plutôt que d'envoyer le vieil homme
et son navire par le fond d'une vague scélérate,
il choisit de leur jouer un tour.

Puisque le capitaine se servait des pauvres méduses
pour exprimer sa mauvaise humeur,
il apprendrait à les connaître…

Ce matin-là, la surface de l'Océan
bouillonna subitement
autour de *Trompe La Vague*.

Trompe La Vague

«Qu'est-ce que c'est que ce raffut?»
hurla le capitaine Daniel en se penchant
au-dessus du bastingage, tandis
qu'une bulle d'air plus grosse
que les autres entourait le bateau.

«Mille
méduses!»

Le vieux marin en eut le souffle coupé:
en trente ans de navigation,
il n'avait jamais vu ça.

C'est alors que la bulle plongea
dans l'eau et emporta le marin
et son navire. Puis elle s'enfonça
lentement vers les profondeurs.

Le capitaine, stupéfait, ouvrit de grands yeux
devant l'incroyable forme qui se rapprochait du navire...
«Mille méduses!»
hoqueta-t-il.

C'était une méduse géante. Il fila à la proue,
se tut et observa les lents mouvements
de l'ombrelle rouge. Il n'avait jamais vu
créature si étrange.

Curieuse, elle étendit ses longs filaments.
Ils appuyaient si fort que la paroi
de la bulle se plissait.
Le vieil homme grimpa en hâte
sur le toit de sa cabine et plongea
la tête dans une bouée
de sauvetage en hurlant :

« Mille
méduses ! »

La créature partit enfin.

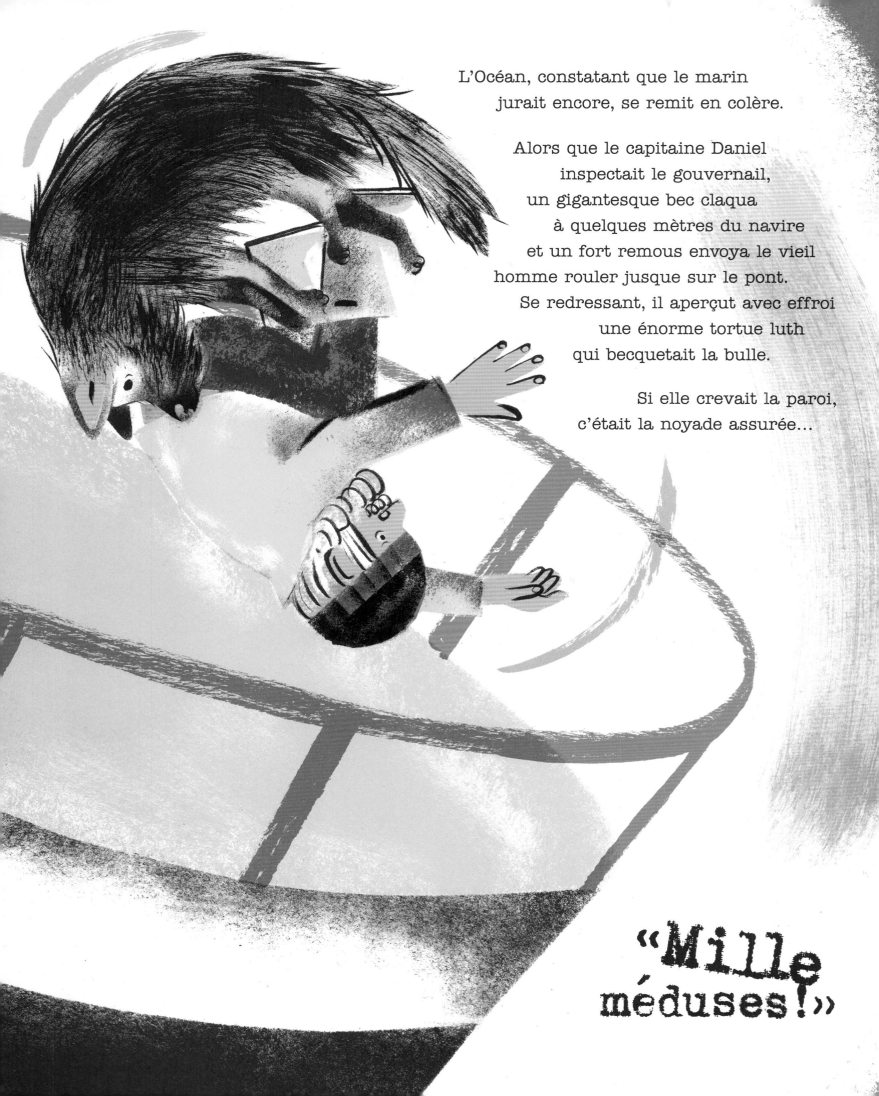

L'Océan, constatant que le marin
jurait encore, se remit en colère.

Alors que le capitaine Daniel
inspectait le gouvernail,
un gigantesque bec claqua
à quelques mètres du navire
et un fort remous envoya le vieil
homme rouler jusque sur le pont.
Se redressant, il aperçut avec effroi
une énorme tortue luth
qui becquetait la bulle.

Si elle crevait la paroi,
c'était la noyade assurée...

«Mille
méduses!»

s'exclama-t-il lorsqu'elle s'éloigna enfin.

Au moment où le capitaine tentait
de s'endormir, la nuit s'éclaira
de mille éclats de lumière :
un halo de minuscules méduses
envoyait de si puissants flashs
que le vieil homme dut
renoncer au sommeil.

«Mille méduses!»
souffla-t-il, blotti
sous une couverture de survie.

Au matin, le pauvre homme était épuisé. Il grignota deux vieux
gâteaux secs, et lorsqu'il osa enfin regarder par le hublot,
il vit briller les dents d'un requin-taureau contre la paroi de la bulle.
Il mit les mains sur les oreilles pour ne pas entendre
les terribles grincements de dents.

«Mille méduses!»

murmura-t-il en tremblant.

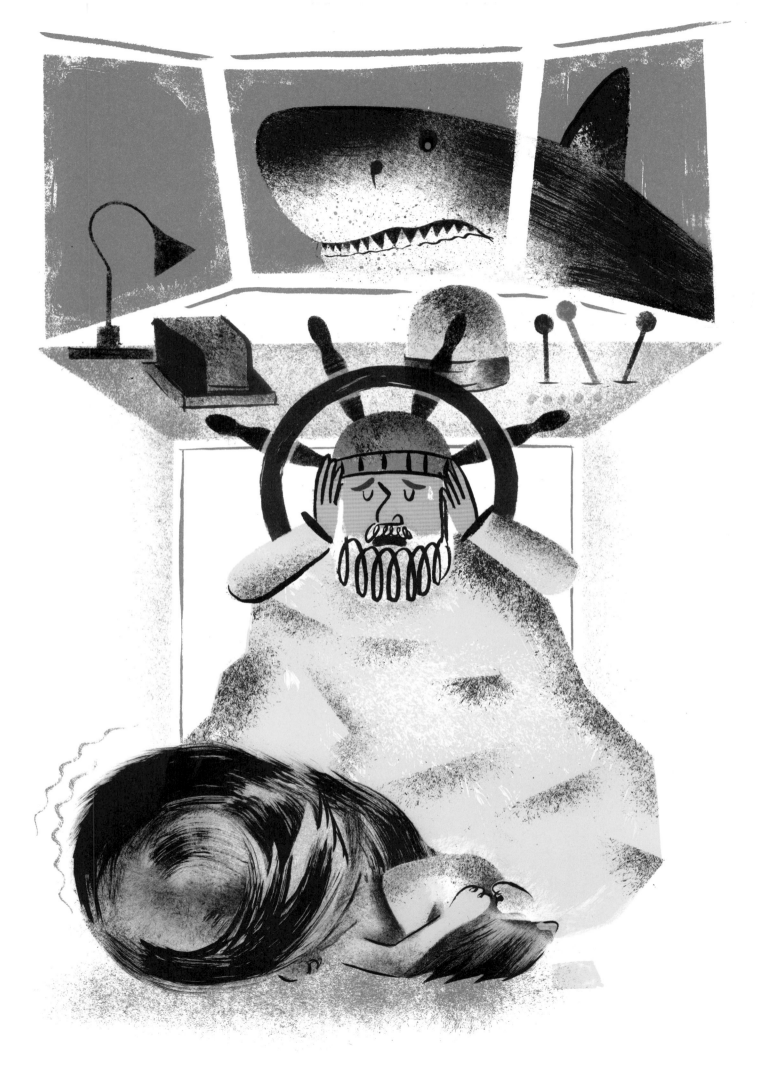

Le capitaine remarqua alors
une petite méduse
venue se coller à la bulle.
Une deuxième apparut.
Puis une autre, puis une autre.
Il en arrivait de partout
et le requin prit la fuite.

Le vieil homme et son bateau
étaient à présent cernés
par des dizaines de méduses.

La bulle se déformait sous le nombre : elle s'allongeait comme un concombre, s'aplatissait comme une assiette ou se comprimait jusqu'à entrer par les hublots.

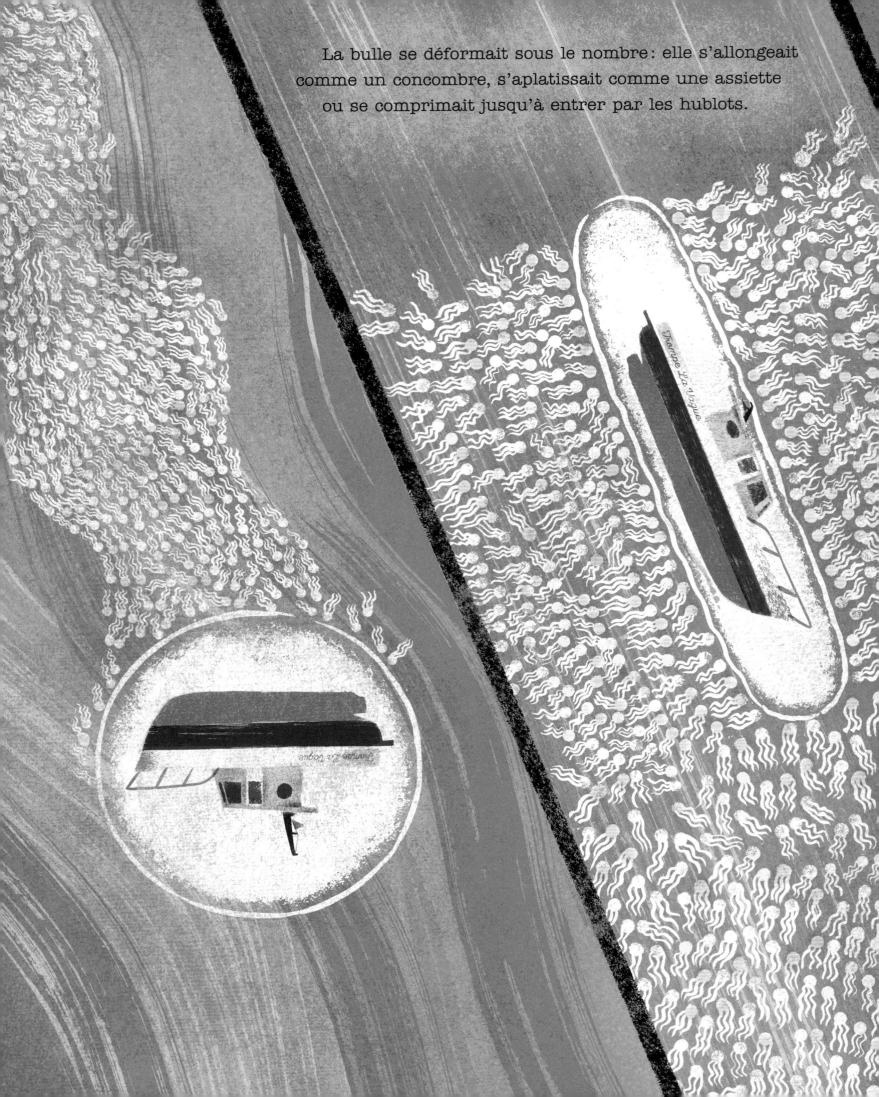

Le capitaine restait silencieux.
Certain que la paroi céderait sous peu,
il se prépara à couler...

... mais les méduses se mirent à caresser la bulle avec douceur, toutes ensemble, l'accompagnant lentement vers la surface.

La température augmenta, le bleu s'éclaircit et le marin comprit qu'ils remontaient enfin. Les yeux plissés, il aperçut bientôt le soleil à travers la surface. Une fois à l'air libre, la bulle éclata.

Trompe La Vague flottait à nouveau, laissant le capitaine Daniel à quatre pattes sur le pont, assommé par cet hallucinant voyage.

Il enclencha les moteurs et, prenant la direction
de l'île du Timbre-Poste, se mit à pêcher en sifflotant.
Une dorade mordit, mais la prise fut engloutie
par un barracuda avant d'être hissée hors de l'eau.
Le capitaine resta calme.

Et lorsqu'un bidon vide charrié par les flots
effrita la peinture de la coque,
il ne jura pas non plus.

L'Océan était content.

L'île était en vue : le capitaine réduisit
la puissance des moteurs et reprit la barre.
Il actionna la sirène pour annoncer son retour,
mais aucun son ne sortit.
Une seconde tentative échoua.

Il mit immédiatement la main sur sa bouche,
les yeux gonflés de terreur,
mais il était trop tard :
l'Océan bouillonnait déjà
autour de son fidèle
Trompe La Vague

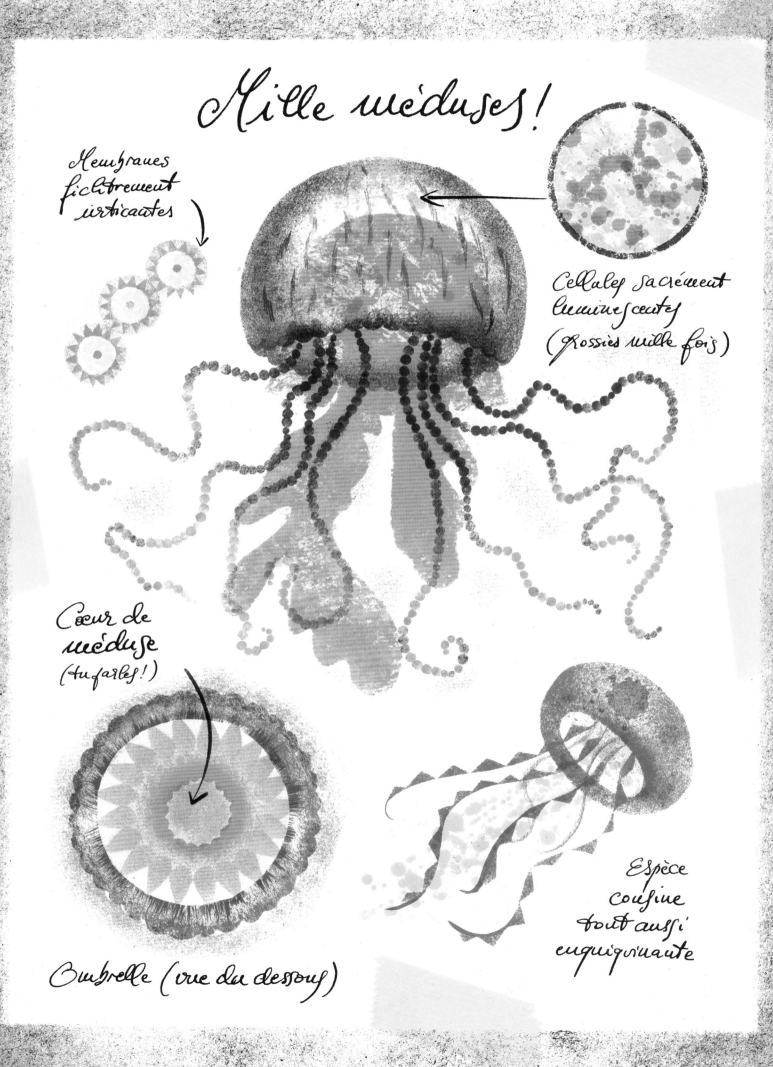

Mille méduses!

Membranes fichtrement urticantes

Cellules sacrément luminescentes (grossies mille fois)

Cœur de méduse (tu parles!)

Ombrelle (vue du dessous)

Espèce cousine tout aussi enquiquinante